NOCH:
5, 4, 3,
2, 1, 0
TAGE

ALLES FÜR

....

UND GANZ BESONDERS FÜR
SNOOP, TIGGA, BÖHNCHEN, UWE,
SABINE F. UND MATHIAS B.
VON ANNET

Weitere Geschichten vom kleinen Raben bei Esslinger,
von Nele Moost und Annet Rudolph:

Alles meins! oder 10 Tricks, wie man alles kriegen kann
1, 2, 3 – bringt Trost herbei! (Zahlen)
Grün, Blau, Rot – wir bauen ein Piratenboot! (Farben)
Groß und Klein – wer passt rein? (Größen)
Eckig und Rund – Geschenke kunterbunt! (Formen)
Alles gebacken! (Weihnachtspappebilderbuch)
Alle meine Adressen (Adressbuch)
Alle meine Schulfreunde (Freundschaftsbuch)

© 1997 Esslinger Verlag J. F. Schreiber – Esslingen, Wien.
Anschrift: Postfach 10 03 25, 73703 Esslingen.
Alle Rechte vorbehalten.   (14463)
ISBN 3-480-20193-8
Text entspricht den neuen Rechtschreibregeln.

ALLES ERLAUBT?

ODER

IMMER BRAV SEIN – DAS SCHAFFT KEINER!

ERZÄHLT VON NELE MOOST

MIT BILDERN VON ANNET RUDOLPH

Esslinger

Der Dachs hat alle seine Freunde eingeladen. Es gibt Spaghetti mit Soße. Das Wildschwein isst ziemlich laut.

„Weißt du, man darf nicht schmatzen", erklärt der Hase.

„Das stimmt", pflichtet ihm der Dachs bei und tupft sich den Mund mit der Serviette ab.

„Ohne schmatzen schmeckt's nicht", grunzt das Wildschwein.

Es kann Riesenmengen Spaghetti verdrücken, und der kleine Rabe hat langsam Zweifel, ob er noch genug abbekommt. Er schaufelt sich vorsichtshalber einen Soßenvorrat auf den Teller.

„Man darf sich nicht soviel drauftun!", belehrt ihn der Hase.
„Man mub aub wab abbeben!", stimmt das Wildschwein zu.
Es will sich wieder Soße nehmen und greift nach der Schüssel.
„Mit vollem Mund spricht man nicht!", krächzt der kleine Rabe und
klammert sich an die Schüssel.
„Darf ich mal die Soße haben?", bittet das Schaf.
„Man muss auch mit den anderen teilen!", sagt Frau Dachs.
„Ich will aber nicht", erwidert der Rabe und spuckt in die Schüssel.
„Iiiih, ist das eklig", ruft der Dachs.
„Er hat in die Soße gespuckt!", stottert der Hase entsetzt.
„Also wirklich, kleiner Rabe, das macht man nicht!", ermahnt ihn
Frau Dachs. „Gib jetzt die Schüssel her. Ich versuche, das da
herauszufischen."
„Nein, nein, nein!", schreit der Rabe und springt in die Schüssel.

„Jetzt reicht's!", schimpft Frau Dachs. „Du gehst sofort nach Hause.
Und wenn du nicht ab heute das bravste Tier im Wald bist, dann gibt
es nichts zum Geburtstag."

„Immer ich", krächzt der Rabe. „Der Vielfraß da ist schuld.
Das Wildschwein hat angefangen."

„Keine Widerrede", sagt Frau Dachs. „Ich hole jetzt einen Lappen,
und wenn ich zurückkomme, will ich dich hier nicht mehr sehen."

„Du bist gemein!", ruft der kleine Rabe ihr nach.

„Mach lieber, was meine Mama sagt", warnt der Dachs. „Sonst kriegst
du wirklich keine Geschenke."

„Ph", macht der Rabe trotzig.

„Soll ich dir helfen? Ich kenn mich aus", bietet der Hase an.

„Alter Besserwisser!", erwidert der Rabe.

„Aber Bravsein ist ziemlich schwer. Das muss man lange üben."

„So'n Quatsch! Das ist doch puppenleicht. Bravsein kann jeder",
behauptet der Rabe und fliegt davon.

Zu Hause überlegt der kleine Rabe: „Was ist das überhaupt,
Bravsein? Keine Ahnung." Er kuschelt sich tief in sein Nest. „Keine
Ahnung ist schlecht!", denkt er noch, dann ist er eingeschlafen.
In der Nacht träumt er einen schlimmen Traum: Er liegt auf einem
Geschenkeberg und breitet seine Flügel darüber aus. Plötzlich
schwebt ein Paket in die Luft. Dann noch eins und noch eins. „Halt,
wo wollt ihr hin", ruft der kleine Rabe im Schlaf. Vergebens versucht
er, sie festzuhalten. Immer mehr Pakete fliegen einfach davon.
„Halt! Halt! Halt!", schreit er ganz aufgeregt.
Da hört er eine Stimme.

„Was schreist du denn so?", will der Bär wissen.

„Wo sind meine Geschenke?", fragt der kleine Rabe ganz verstört. Aber da merkt er, dass alles nur ein Traum war. Gut, dass der Bär ihn geweckt hat.

Die Lage ist ernst! Der Rabe muss etwas unternehmen, sonst gehen ihm die Geburtstagsgeschenke tatsächlich durch die Lappen. Er fragt gleich den Bären um Rat und der muss nicht lange überlegen.

„Bravsein ist doch bärenleicht", erklärt er. „Honig muss man immer aufessen und waschen soll man sich nur einmal im Jahr. Das ist alles!"

Der kleine Rabe glaubt ihm nicht so recht. Um sicherzugehen, fragt er noch: „Und was sagt man, wenn man bei Tisch die Soßenschüssel haben will?"

„Das ist doch klar wie Kloßbrühe. Da sagt man...äh..."

„Na, was?"

„Da sagt man: 'Los, gib her!' Was sonst."

„Falsch, alles falsch", ruft der Rabe. „Du hast ja keine Ahnung."

„Dann eben nicht", brummt der Bär und zieht beleidigt ab.

„Wen kann ich nur fragen?", überlegt der kleine Rabe.

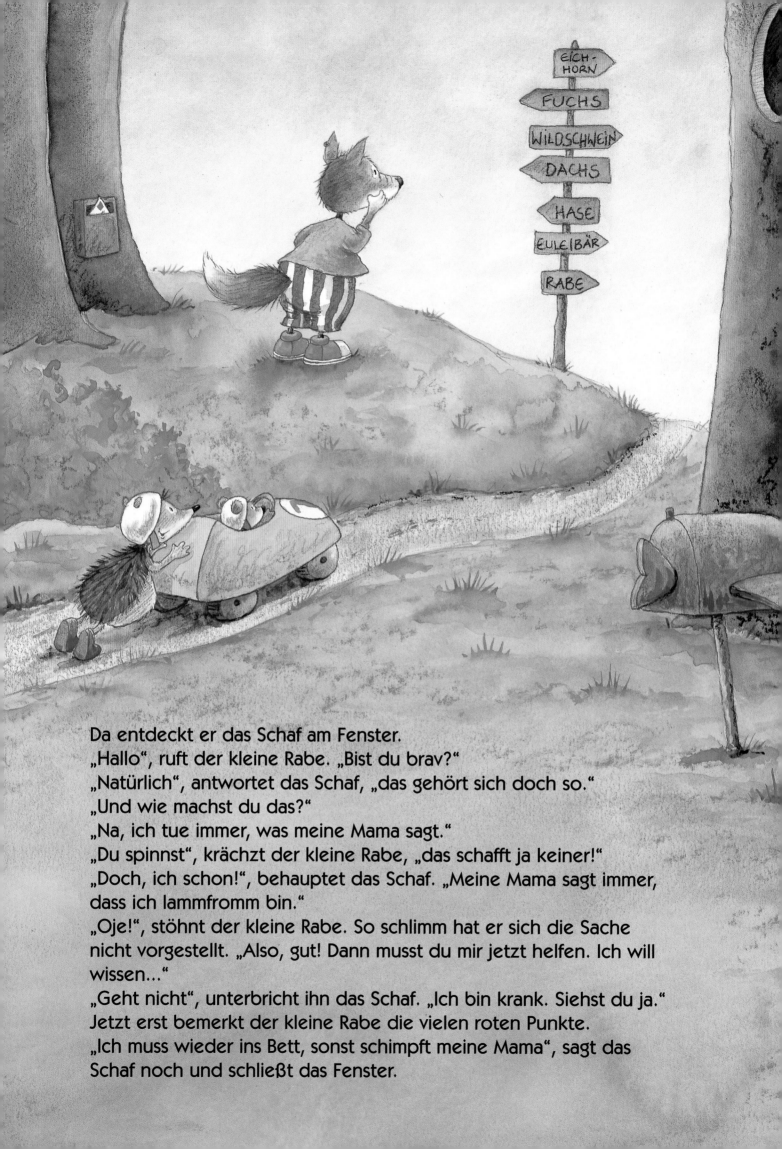

Da entdeckt er das Schaf am Fenster.

„Hallo", ruft der kleine Rabe. „Bist du brav?"

„Natürlich", antwortet das Schaf, „das gehört sich doch so."

„Und wie machst du das?"

„Na, ich tue immer, was meine Mama sagt."

„Du spinnst", krächzt der kleine Rabe, „das schafft ja keiner!"

„Doch, ich schon!", behauptet das Schaf. „Meine Mama sagt immer, dass ich lammfromm bin."

„Oje!", stöhnt der kleine Rabe. So schlimm hat er sich die Sache nicht vorgestellt. „Also, gut! Dann musst du mir jetzt helfen. Ich will wissen..."

„Geht nicht", unterbricht ihn das Schaf. „Ich bin krank. Siehst du ja."

Jetzt erst bemerkt der kleine Rabe die vielen roten Punkte.

„Ich muss wieder ins Bett, sonst schimpft meine Mama", sagt das Schaf noch und schließt das Fenster.

In seiner Not beschließt der Rabe, nun doch den alten Besserwisser um Rat zu fragen.

„Also los, du kannst mir jetzt helfen", sagt er zum Hasen. „Aber ein bisschen plötzlich."

„Kannst du mir *bitte* helfen", verbessert der Hase.

„Was?"

„Kannst du mir *bitte* helfen", wiederholt der Hase. „Und vielen Dank!"

„Du kannst gleich eins hinter die Löffel haben", droht der Rabe.

„Aber so sagt man das doch", erwidert der Hase ängstlich. „'Bitte' und 'danke' sagen ist immer gut. Versuch's mal."

„Bitte-danke, bitte-danke, bitte-danke, bitte-danke."

„Nein", kichert der Hase, „sag, dass ich dir helfen soll. Sag: 'Entschuldige bitte' und so weiter."

„Das ist ja leicht", denkt der Rabe. „Entschuldige bitte, hilf mir bitte, sonst knallt's. Bitte-danke", sagt er und ist mit sich sehr zufrieden.

„Nein", stöhnt der Hase. „Ganz falsch!"

„Was denn noch?" Langsam wird der Rabe wütend.

„Man darf nicht immer gleich hauen."

„Alles klar", sagt der Rabe, „das kann ich mir merken: *Immer* 'bitte-danke' und *nicht immer* hauen. Dann bis zum nächsten Mal. Bitte-danke und tschüs."

„Halt", ruft der Hase. „Das ist noch lange nicht alles. Bravsein ist ganz viel. Am besten, wir machen eine Liste und du lernst sie auswendig."

Der Hase diktiert dem kleinen Raben eine riesenlange Liste.
„Also, schreib!", sagt er. „Ich darf nicht lügen! Ich darf mich nicht schmutzig machen! Ich muss mir vorm Essen die Hände waschen und mich warm anziehen! Ich muss warten, bis ich dran bin! Ich darf nicht zappeln, nicht trödeln und nicht hauen! Ich darf keinen Krach machen! Ich darf keine Schimpfwörter sagen, vor allem nicht das Wort mit 'Sch'!"

„Welches Wort mit 'Sch'?", fragt der kleine Rabe, aber der Hase redet einfach weiter.

„Ich muss das schöne Händchen geben! Ich darf nicht immer 'Nein' sagen! Ich muss aufessen! Ich darf nicht spucken, beißen, treten, widersprechen und vor allem nicht in der Nase bohren!"

„Oh!", sagt der kleine Rabe und nimmt schnell den Flügel aus dem Nasenloch.

„Und ich darf dem Hasen nicht in die Löffel beißen! Das wär's", meint der Hase. Aber dann fällt ihm noch viel, viel mehr ein.

Am nächsten Tag flattert der Rabe aufgeregt hin und her und versucht, die Liste aufzusagen. Da kommt das Schaf vorbei.

„Ich bin wieder gesund", sagt es. „Soll ich dir jetzt helfen?"

„Hau ab", krächzt der Rabe. „Ich habe keine Zeit". Aber dann verbessert er sich. „Man darf nicht immer hauen. Und jetzt hau ab, bitte-danke."

Doch das Schaf lässt sich nicht so einfach abwimmeln und obendrein erscheint nun auch noch der Wolf. Ausgerechnet jetzt will er mit dem kleinen Raben spielen.

„Kommst du mit, die Eule ärgern?", fragt er. Aber der kleine Rabe ist schon völlig erschöpft.

„Mach du allein", sagt er nur kläglich und fügt noch schnell hinzu: „Und vergiss nicht: Du musst dir vorm Ärgern die Hände waschen."

Als die beiden weg sind, lernt der kleine Rabe schnell weiter. Aber man lässt ihn nicht in Ruhe. Der Bär steht plötzlich vor ihm und will sich mit ihm vertragen.

„Tachchen. Da bin ich wieder!", brummt er.

„Tag", antwortet der Rabe, sonst sagt er nichts. Kurze Antworten sind ja wohl nicht verboten. Jedenfalls steht das nicht auf der Liste. Dann schweigen beide, und der Rabe hofft, dass der Bär bald verschwindet. Aber der denkt nicht daran.

„Kann ich mir einen Keks nehmen?", fragt er verlegen.

„Ja, ja, nimm sie alle", krächzt der Rabe. „Und jetzt entschuldige mich bitte, ich habe zu tun."

In diesem Augenblick kommt Frau Dachs vorbei.

„Ja, was höre ich denn da. So ein höflicher kleiner Rabe bist du über Nacht geworden. Und verschenkst alle deine Kekse. Das ist sehr brav, kleiner Rabe", lobt Frau Dachs.
„Ich habe auch keine Schimpfwörter gesagt. Auch nicht das Wort, das mit 'Schei..?' anfängt!", sagt der kleine Rabe eifrig.
Bevor Frau Dachs noch etwas erwidern kann, legt der kleine Rabe richtig los. Er zählt alles auf, was man darf und was man nicht darf. Manches sagt er doppelt, und wenn er nicht weiter weiß, fängt er wieder von vorne an.
Als er endlich mal Luft holt, unterbricht ihn Frau Dachs rasch: „Es reicht, danke! Zur Belohnung darfst du dir jetzt etwas wünschen."
Da weiß der kleine Rabe auch sofort schon was.
„Ich wünsche mir ein Fest zu meinem Geburtstag. Ein Nix-ist-verboten-Fest! Da darf jeder machen, was er will."

Am nächsten Tag ist Rabengeburtstag.
Da schmatzt das Wildschwein ununterbrochen wie ein Wildschwein.
Der kleine Rabe isst alle Kekse, Bonbons und Schokolade ganz
allein, bis er fast platzt. Der Dachs beschmiert sich von oben bis
unten mit Eierpampe. Sogar der Hase traut sich und brüllt alle
Schimpfwörter, die er kennt.
Alle sind begeistert. Sie beschließen, ab jetzt jeden Monat einen
Nix-ist-verboten-Tag zu feiern.
„Kommt nicht in Frage", ruft Frau Dachs. „Das gibt es nur am
Rabengeburtstag."
„Und am Wildschweingeburtstag!"
„Und am Bärengeburtstag!"
„Und am Dachsgeburtstag!"
„Na dann, prost Mahlzeit!", stöhnt Frau Dachs.
„Ja, Prost und Mahlzeit", krächzt der kleine Rabe. „Und jetzt her
mit den Geschenken, bitte-danke!"